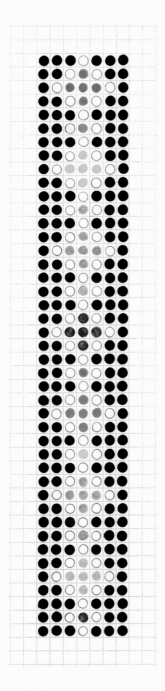

◀ **Collier de chien noir :**
8 fils de chaîne

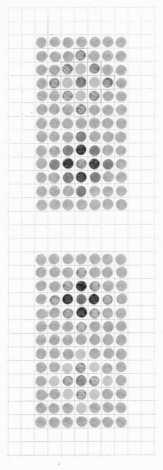

▲ **Motif du bracelet**
Jessica : 8 fils de chaîne

▲ **Bracelet poisson :**
8 fils de chaîne

Merci à la Boîte à perles
194, rue Saint Denis
75002 Paris

Édition : Clothilde Cacheux
© Groupe Fleurus-Mame, Paris, octobre 1997
Dépôt légal : novembre 2001
Photogravure : PFC
Imprimé en Belgique par Proost
ISBN : 2-215-02349-X
ISSN : 1285-5677
15ème édition - N°92222

Loi n° 49-956 du 16 juillet 1949 sur les publications destinées à la jeunesse.

les activités fleurus

PERLES DE ROCAILLE

BIJOUX ET GADGETS

Christine Hooghe

Photographies : Dominique Santrot
Illustrations : Véronique Marchand
Conception graphique : Claude Poirier

*À la petite Lilou
et à la grande Tanya*

EDITIONS
FLEURUS

Éditions Fleurus, 15-27, rue Moussorgski 75018 Paris

Matériel et conseils

Perles

Perles de rocaille

Toutes les réalisations de ce livre utilisent des perles « de rocaille ». Ce sont de toutes petites perles de verre fabriquées industriellement. Les perles dites de rocaille sont les plus courantes. Elles mesurent environ 2 mm de diamètre et existent en de nombreux coloris : opaques, transparents, nacrés, métallisés, irisés... Certaines réalisations de ce livre utilisent aussi de la « grosse rocaille » : perles de verre d'environ 5 mm de diamètre, ainsi que des tubes de verre de 2 mm de diamètre et de longueur variant entre 5 et 10 mm.

Autres perles

Les perles de rocaille peuvent se combiner avec toutes sortes d'autres perles. Nous vous en donnons quelques exemples dans ce livre. Un seul impératif : veillez à la grosseur des trous : les perles de rocaille ne doivent pas glisser dedans, sauf si c'est l'effet recherché.

Aiguilles

Il existe en merceries ou en magasins spécialisés des aiguilles à perles, longues et très fines, permettant d'enfiler les perles plus rapidement et plus facilement.

Fils

Les fils doivent être adaptés au type de perles et au projet.

Fil de Nylon

Il convient parfaitement pour les petits colliers ou bracelets. Il peut être utilisé en double avec des perles un peu lourdes ou coupantes.

Fil câblé

Il s'utilise pour des perles lourdes ou coupantes comme les perles de verre ou pour donner une certaine rigidité au modèle (voir les petits ras de cou multicolores p. 12).

Fil de lin

Il s'utilise pour les colliers souples ou les projets à fils croisés ou passés plusieurs fois dans les perles : triangles, fleurs, pantins...

Fil tressé de Perlon ou fil de polyamide torsadé

Ils sont parfaits pour les sautoirs. Ils sont parfois vendus en aiguillées prêtes à l'emploi dans les merceries et les magasins de loisirs créatifs.

Élastique très fin

Il est parfait pour fabriquer des petits bracelets sans fermoir.

Fil de laiton souple

Doré ou argenté, il sera utilisé pour les petits sujets. Sa rigidité et sa malléabilité permettent de donner une forme particulière au modèle.

Fermoirs

Fermoirs à ressort ronds
Ce sont les plus simples. De petite taille, ils sont particulièrement adaptés aux perles de rocaille.

Fermoirs à vis
Ils sont réservés aux colliers parce qu'on a besoin des deux mains pour les fermer.

Astuces

Les boutons pression, peu onéreux, font également d'excellents fermoirs.

Des boutons fantaisie utilisés en guise de fermoirs donnent du caractère aux bijoux les plus simples.

Ciseaux et pinces

Vous aurez également besoin pour certaines réalisations d'une pince coupante pour le fil de laiton et la fabrication des boucles d'oreilles, ainsi que d'une pince à bijoux pour poser les perles à écraser et pour former les anneaux.
Les pinces d'électricien sont parfaitement adaptées.

Attention
Manipulez toujours les pinces avec précaution.

Boucles d'oreilles

Des clous à tête et à côté bouclé, des créoles et des attaches pour oreilles percées ou non, vous permettront de créer plein de boucles d'oreilles différentes à partir des principes de base expliqués dans ce livre.

Définir la longueur des bijoux

Nous donnons les longueurs approximatives des bijoux terminés. Adaptez-les à vos propres mesures, au fermoir et aux finitions choisis.
Bracelet : 17 à 20 cm
Ras de cou : 40 cm environ
Petit collier : 60 cm
Sautoir : 80 cm à 3 m, cela dépend du nombre de tours !

Poser une perle de retenue

Bloquer le fil avec une petite perle permet de modifier l'ordre et le placement des perles et de définir la longueur avant de poser le fermoir. Placer une perle à quelques centimètres de l'extrémité du fil, et repasser le fil dans le trou de la perle pour la maintenir en place. Enlever la perle pour poser le fermoir.

Finitions

Poser un cache-nœuds

Passer le fil par le trou du cache-nœuds et le placer contre les perles. Faire 3 à 4 nœuds le plus près possible du cache-nœuds. Couper à ras. Mettre une goutte de colle sur les nœuds et, sans laisser sécher, refermer le cache-nœuds délicatement avec une

pince à bijoux. Passer l'anneau du cache-nœuds dans celui du fermoir et le fermer avec la pince.

Poser une perle à écraser
(sur du Nylon, du fil câblé ou du laiton)

Après la dernière perle, enfiler une perle à écraser, passer le fil dans l'anneau du fermoir, puis le repasser dans la perle à écraser et quelques perles suivantes. Serrer le plus possible pour éviter le jeu entre les perles. Écraser fermement la perle métallique à la pince à bijoux. Faire appel éventuellement à quelqu'un de plus fort que soi !

Dernier conseil !
Perlez sur une table en plaçant les perles dans des soucoupes, elles-mêmes posées sur un plateau ou dans le couvercle d'une boîte à chaussures.
Un accident est si vite arrivé !

Finition simple
Faire 3 à 4 nœuds simples les uns sur les autres, couper le fil à ras et déposer une goutte de colle gel ou de vernis transparent.

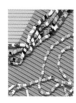

Colliers multicolores

Ces colliers sont parmi les plus faciles à réaliser puisqu'il suffit de savoir faire les nœuds simples. Armé d'une aiguille à perles, vous ferez l'enfilage en deux temps trois mouvements !

Matériel

- Fil de lin utilisé en double pour la petite rocaille,
- perlon de soie ou fil de polyamide torsadé pour les perles plus lourdes,
- aiguille,
- perles : perles de rocaille, grosse rocaille (5 mm), perles cylindriques (4mm) en verre, tubes de verre,
- colle gel ou vernis à ongles transparent.

Sautoirs

Enfiler entre 2 et 3 m de perles. Plus le sautoir est long, plus on peut faire de tours. Faire 3 ou 4 nœuds simples les uns sur les autres. Couper les extrémités du fil. Consolider le nœud avec une goutte de colle ou de vernis. Laisser sécher.

Colliers

Les colliers sont effectués sur le même principe que les sautoirs mais ils sont simplement beaucoup plus courts. On enfile seulement 70 cm à 1 m de perles. Pour faire de jolis colliers, jouer sur les rythmes et les couleurs. Toutes les fantaisies sont permises ! Disposer les perles en suivant les couleurs de l'arc-en-ciel, alterner tubes de verre et perles de rocaille… Mélanger perles de rocaille transparentes et opaques et oser les contrastes. Pour arrêter le collier, il suffit de faire 3 ou 4 nœuds simples les uns sur les autres. Couper les fils et consolider le nœud avec une goutte de colle ou de vernis à ongles. Laisser sécher.

Parure de fête

Cette parure sera parfaite pour la fête des mères ou pour une idée de cadeau.

Matériel

- Fil de Nylon,
- perles à écraser,
- pince à bijoux.

Pour le bracelet :
- tubes en verre métallisé argent,
- perles en plastique de 5 mm de diamètre façon perles de culture,
- fermoir à ressort.

Pour le collier :
- tubes en verre métallisés argent,
- perles de rocaille dorées,
- 5 perles plates en plastique dorées d'environ 15 mm de diamètre (ou autres perles fantaisie),
- fermoir à vis.

Bracelet

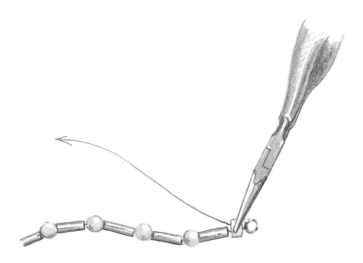

Couper 40 cm de fil de Nylon. Attacher le fermoir à quelques centimètres d'une des extrémités du fil en utilisant une perle à écraser. Alterner tubes de verre et fausses perles de culture en emprisonnant l'extrémité du fil dans les premières perles. Lorsque le bracelet est assez grand, attacher l'anneau du fermoir avec une seconde perle à écraser. Rentrer la deuxième extrémité du fil dans les dernières perles.

Collier

Couper 60 cm ou plus de fil de Nylon. Attacher le fermoir comme pour le bracelet. Enfiler les perles en les faisant alterner. Centrer les grosses perles dorées.

Parures multicolores

Ras de cou

Matériel

- Perles de rocaille multicolores,
- 60 cm de fil câblé,
- perles à écraser,
- pince à bijoux,
- bouton pression,
- 1 perle argentée en plastique ou métallique.

Attacher une partie du bouton pression à quelques centimètres d'une des extrémités du fil en utilisant une perle à écraser. Enfiler environ 19 cm de perles de rocaille en emprisonnant l'extrémité du fil dans les premières perles, puis la perle argentée et enfin environ 19 cm de perles de rocaille. Attacher la deuxième partie du bouton pression à l'aide d'une perle à écraser. Repasser 2 cm de fil dans les dernières perles.

Boucles d'oreilles simples

Matériel

- 2 perles de verre Murano de forme allongée,
- 4 perles de grosse rocaille (5 mm) et 2 de petite rocaille,
- 2 clous de jonction à tête,
- 2 attaches pour oreilles percées ou non,
- pince coupante,
- pince à bijoux.

1 Sur un des clous, glisser les perles dans l'ordre en commençant par le bas. Recouper le clou à 1 cm environ après la dernière perle.

2 Former l'anneau à l'aide de la pince à bijoux. Passer l'attache dans l'anneau. Selon le modèle de l'attache, il est parfois nécessaire de la glisser dans l'anneau avant de le fermer complètement

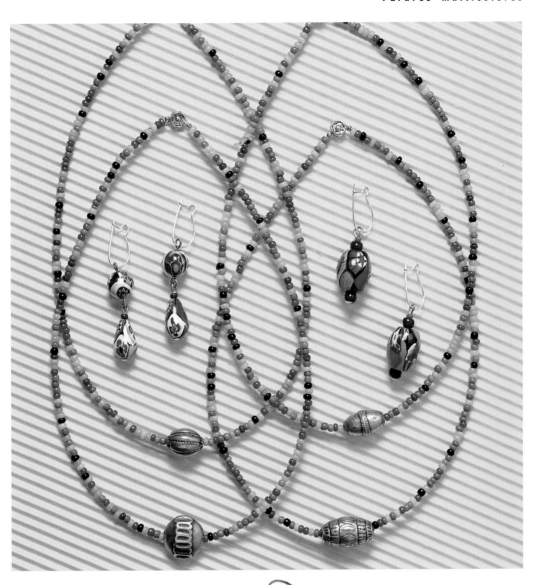

Boucles d'oreilles articulées

Sur un clou à tête plate, enfiler une perle « goutte » et une perle de rocaille. Recouper le clou à 1 cm environ. Former un anneau à la pince à bijoux et l'attacher à un clou de jonction à boucle avant de le fermer complètement. Enfiler la perle ronde. Raccourcir le clou et former un deuxième anneau. Passer l'attache dans l'anneau.

Matériel

- Perles de verre Murano : 2 rondes et 2 gouttes,
- 2 perles de rocaille,
- 2 clous de jonction à tête,
- 2 clous avec un côté bouclé,
- 1 paire d'attaches pour oreilles percées ou clips,
- pince coupante,
- pince à bijoux.

Parure des Hurons

Collier

Matériel

- Perles de rocaille : marron, bleu marine, turquoise,
- 5 perles imitant les pierres dures en forme d'animaux ou autre,
- 80 cm de fil de Nylon,
- perles à écraser,
- pince à bijoux,
- 1 fermoir à vis.

Pour l'équilibre du collier, commencer par le milieu. Intercaler environ 4 cm de perles de rocaille entre chaque grosse perle. Rajouter le même nombre de perles de chaque côté jusqu'à obtenir la longueur désirée. Attacher le fermoir à l'aide des perles à écraser.

Boucles d'oreilles

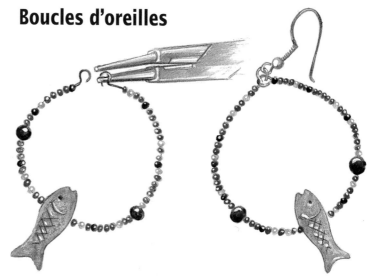

Enfiler les perles sur la créole en laissant 1 cm libre environ. Former un anneau horizontal. Avant de le fermer complètement, crocheter le pied de l'anneau vertical qui sert à attacher la créole.
Fixer l'attache de boucle d'oreille : rouvrir légèrement un des anneaux si nécessaire à l'aide de la pince à bijoux et le refermer délicatement.

Pour la créole à pendentif, glisser quelques perles sur un clou de jonction en commençant par le bas. Recouper le clou à environ 1 cm de la dernière perle. Former un anneau et le glisser dans l'anneau horizontal de la créole avant de le fermer complètement.

Matériel

- Perles identiques à celles du collier,
- quelques grosses perles de rocaille bleu marine,
- pince coupante,
- pince à bijoux,
- 2 créoles,
- 1 paire d'attaches pour oreilles percées ou clips,
- 1 paire de clous de jonction (pour les créoles à pendentifs).

Bracelet piment

Suivre et répéter le motif du croquis.

Conseil

Plus le bouton est gros, plus il doit être dégagé du bracelet. Pour cela, enfiler plusieurs perles sur les deux brins ensemble, avant de faire le nœud.

Tresses

Le principe de ces bijoux est simple. Leur réalisation demande cependant un petit peu de doigté.

Tresse à 3 brins   Tresse à 4 brins

Matériel

- Perles de rocaille,
- fil de Nylon,
- fermoir,
- perles à écraser,
- pince à bijoux,
- ruban adhésif de peintre.

1 Préparer 3 ou 4 brins de perles en commençant et en terminant par une perle de retenue. Pour un bracelet, rajouter environ 4 cm de perles sur chaque brin par rapport à la longueur finale désirée, pour un collier, environ 6 à 8 cm de plus.

2 Retirer les perles de retenue à une des extrémités des brins et les attacher tous ensemble au fermoir par une perle à écraser. Rentrer les extrémités du fil dans les premières perles de chaque brin.

3 Attacher le fermoir avec du ruban adhésif de peintre sur la table, pour éviter que le bijou ne se retourne. S'assurer que les perles de retenue serrent bien les perles de chaque brin. Faire la tresse ni trop serrée ni trop lâche.

4 À la fin, tenir tous les brins ensemble, retirer les perles de retenue et vérifier la longueur. Ôter éventuellement quelques perles pour égaliser les brins. Attacher tous les brins ensemble à l'autre partie du fermoir avec une perle à écraser. Rentrer les extrémités des fils dans les premières perles.

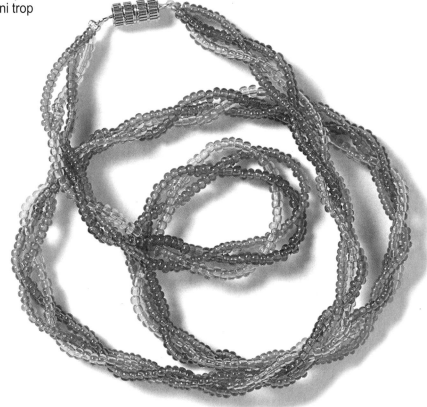

Triangles

Matériel

- Perles de rocaille et tubes de verre,
- 1,5 m de fil de lin par bracelet,
- 1 aiguille à perles,
- bouton à pied assorti aux perles ou fermoir,
- colle ou vernis à ongles.

Laisser environ 20 cm de fil au début du bracelet pour pouvoir faire les finitions.

Bracelet aux tubes bleus

1 Enfiler 1 perle blanche, 3 rouges, 1 blanche, 3 vertes, 1 blanche, 1 tube bleu et repasser le fil dans les 5 premières perles.

2 En alternant, enfiler une fois : 1 tube bleu, 1 blanche, 3 rouges et passer le fil dans la perle blanche qui forme la pointe du triangle précédent.

3 Continuer avec 1 tube bleu, 1 blanche, 3 vertes et repasser le fil dans la perle blanche du coin...

Bracelet aux tubes blancs

1 Enfiler 1 tube blanc, 1 perle bleue, 1 tube blanc, 1 bleue, 3 roses, 1 bleue et repasser le fil dans le premier tube et la perle bleue suivante.

2 Enfiler 3 rouges, 1 bleue, un tube blanc et repasser le fil dans la perle bleue qui forme la pointe du triangle.

3 Ensuite, enfiler 3 perles orange, 1 bleue, 1 tube blanc, puis passer le fil dans la perle bleue qui forme la pointe du triangle précédent. Continuer ainsi en changeant la couleur du groupe des trois perles à chaque fois.

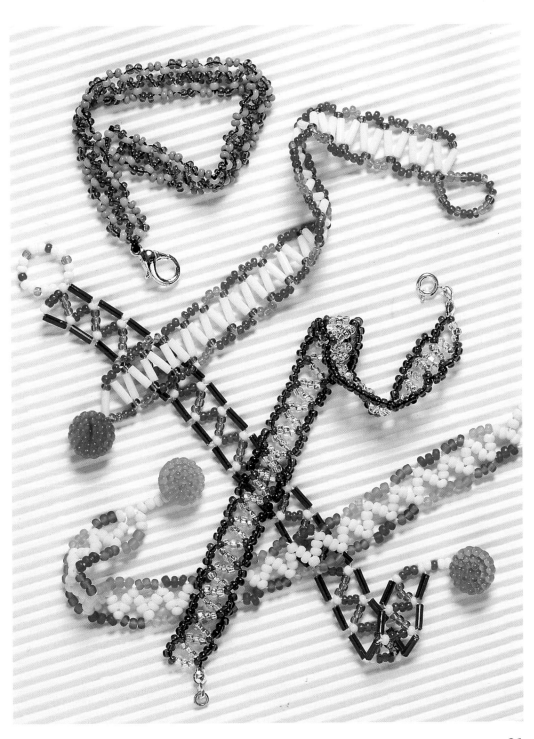

Triangles

Bracelet argent, vert et rose

1 Enfiler 1 perle rose,
3 argent, 1 rose,
3 argent, 1 rose, 3 vertes.
Repasser le fil dans les
5 premières perles pour
former le premier triangle.

Bracelet bleu et jaune

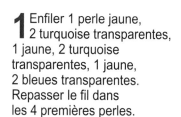

2 Enfiler 3 perles vertes,
1 rose, 3 argent.
Repasser le fil dans la perle
rose à l'angle pour former
le deuxième triangle.
Et ainsi de suite...

1 Enfiler 1 perle jaune,
2 turquoise transparentes,
1 jaune, 2 turquoise
transparentes, 1 jaune,
2 bleues transparentes.
Repasser le fil dans
les 4 premières perles.

2 Enfiler 2 turquoise
opaques, 1 jaune,
2 turquoise transparentes,
et repasser le fil dans
la perle jaune à l'angle.
Former ainsi deux triangles.
Pour les deux triangles
suivants, remplacer les
perles turquoise
transparentes par des
perles bleues et ainsi
de suite.

Bracelet couleur sorbet

Finitions
Bouton

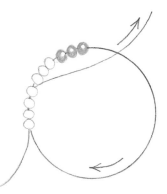

1 Enfiler 7 perles blanches suivies de 3 perles de couleurs, et repasser le fil dans les 4 premières perles.

1 À l'une des extrémités, enfiler suffisamment de perles pour pouvoir former une boucle laissant passer le bouton. Repasser le fil dans la perle de l'angle. Faire deux petits nœuds puis repasser le fil dans quelques perles. Refaire deux nœuds discrets et repasser le fil dans les autres perles de la boucle.

2 De l'autre côté, enfiler quelques perles. Attacher au pied du bouton en faisant plusieurs nœuds et en repassant le fil plusieurs fois dans le pied. Couper et renforcer le nœud avec du vernis.

Fermoir

On peut également attacher un fermoir tout simple avec ou sans cache-nœuds. Pour poser un mousqueton, faire 2 petits nœuds discrets, puis repasser le fil dans les deux perles suivantes. Attacher le mousqueton par plusieurs nœuds. Couper le fil à ras. Renforcer avec une goutte de colle ou du vernis à ongles.

2 Enfiler 3 perles d'une autre couleur et 3 blanches puis repasser le fil dans la perle blanche à l'angle. Continuer ainsi en alternant perles de couleurs et perles blanches.

Fleurettes

Matériel

- Perles de rocaille,
- fil de lin,
- 1 aiguille à perles,
- fermoirs ou boutons pression,
- colle ou vernis à ongles.

Ras de cou arc-en-ciel

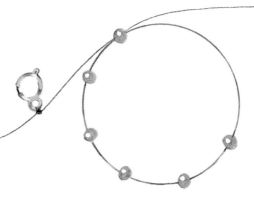

1 Préparer une aiguillée d'environ 1,50 m de fil de lin et nouer un fermoir à 10 cm de l'extrémité du fil. Enfiler 6 perles orange,

puis repasser le fil dans la première perle de façon à former une boucle. Glisser les perles le plus près possible du fermoir.

2 Enfiler une perle jaune pour le cœur et repasser le fil dans le même sens dans la quatrième perle orange pour former la fleur.

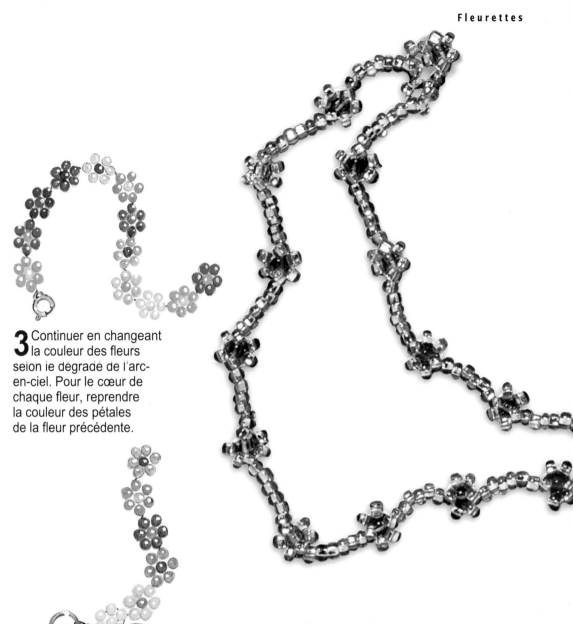

3 Continuer en changeant la couleur des fleurs selon le dégradé de l'arc-en-ciel. Pour le cœur de chaque fleur, reprendre la couleur des pétales de la fleur précédente.

4 Lorsque la longueur désirée est atteinte, attacher la deuxième partie du fermoir. Rentrer les extrémités du fil dans quelques perles des fleurs à chaque bout. Renforcer les nœuds.

Le bracelet dégradé rose, orange et jaune est réalisé selon le même principe.

Collier doré

Prévoir une aiguillée de fil de lin d'environ 2 m. Les fleurs sont formées sur 6 perles comme précédemment. On intercale 6 perles entre elles. Les cœurs sont des perles transparentes de toutes les couleurs. Fermer le collier par de simples nœuds renforcés avec une goutte de colle.

Fleurettes

Bracelet doré et argenté

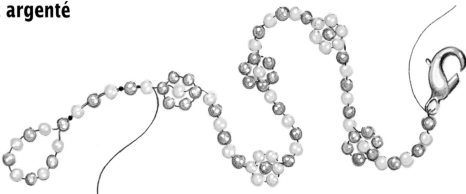

2 Continuer en faisant tantôt une fleur argent avec le cœur doré, tantôt une fleur dorée avec le cœur argent. Entre deux fleurs, enfiler 6 perles en alternant dorées et argentées. Finir en attachant un mousqueton. Rentrer le fil dans les dernières perles et consolider le nœud.

1 Couper une aiguillée de fil de lin d'environ 1 m. Alterner 9 perles dorées et argentées à 15 cm de l'extrémité du fil. Passer les deux extrémités du fil ensemble dans une perle argentée, puis faire deux nœuds discrets. Enfiler à nouveau 3 perles sur deux brins et refaire deux nœuds. Puis enfiler encore 2 perles sur les deux brins et recouper les plus courts.

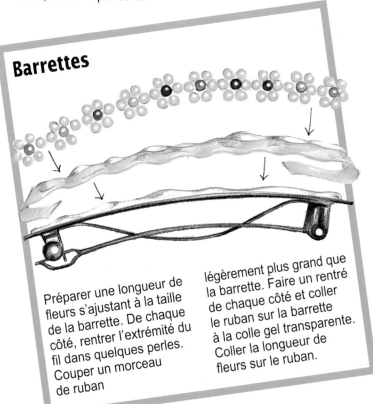

Barrettes

Préparer une longueur de fleurs s'ajustant à la taille de la barrette. De chaque côté, rentrer l'extrémité du fil dans quelques perles. Couper un morceau de ruban légèrement plus grand que la barrette. Faire un rentré de chaque côté et coller le ruban sur la barrette à la colle gel transparente. Coller la longueur de fleurs sur le ruban.

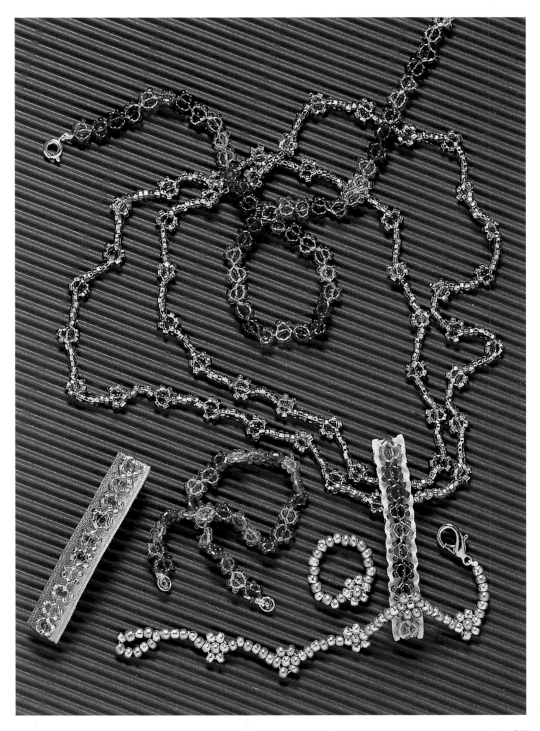

Pantins en ribambelle

Matériel

- Perles de rocaille,
- 1,5 m de fil de lin par collier,
- 1 aiguille à perles,
- fermoir ressort,
- colle ou vernis à ongles.

Collier bleu

1 Poser une perle de retenue à environ 10 cm (voir page 7), puis enfiler 60 perles bleu turquoise.

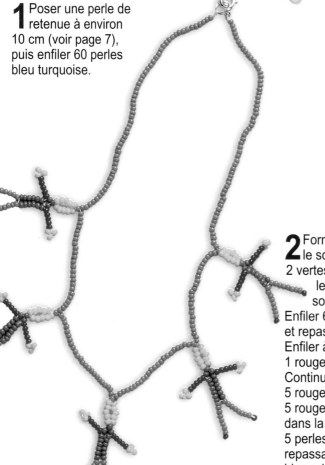

2 Former le premier pantin en suivant le schéma. Enfiler 5 perles jaunes, 2 vertes, 5 rouges, 3 jaunes, puis repasser le fil dans les 5 rouges en prenant soin de serrer suffisamment les perles. Enfiler 6 perles vertes, 8 bleues, 1 rouge et repasser le fil dans les 8 perles bleues. Enfiler à nouveau 8 perles bleues et 1 rouge et repasser le fil dans les 8 bleues. Continuer en enfilant 6 perles vertes, 5 rouges et 3 jaunes et repasser dans les 5 rouges. Enfiler 1 perle verte et repasser dans la perle verte sous la tête. Enfiler 5 perles jaunes et fermer la tête en repassant le fil dans la dernière perle bleue du collier.

3 Former ainsi 5 pantins en les séparant par 25 perles bleues. Finir par les 60 perles bleues. Attacher le fermoir. Rentrer les fils dans les premières perles et renforcer les nœuds.

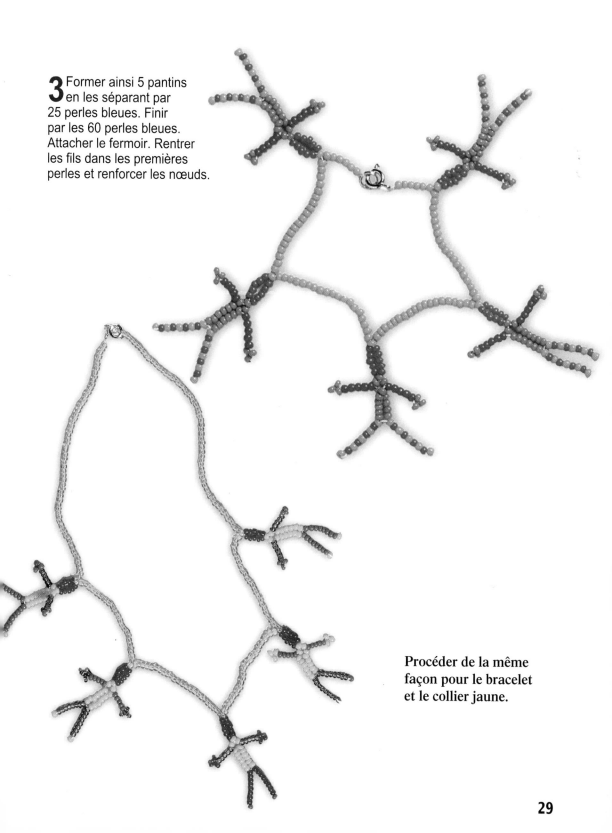

Procéder de la même façon pour le bracelet et le collier jaune.

Famille de crocodiles

Les crocodiles sont assez faciles et assez rapides à réaliser. La technique est celle des fils croisés. On commence par le « nez » en alternant rang de dessous et rang de dessus. Les perles se placent d'elles-mêmes grâce à l'élasticité du fil de Nylon.

jaune = dessous
vert = dessus

Il faut bien tendre les fils à chaque rang pour que le crocodile ait une belle forme. Pour les pattes, enfiler sur un des fils, 5 perles de la couleur du dessus puis 1 perle de la couleur du dessous. Puis repasser le fil dans les 5 premières perles en tirant bien sur le fil de façon à placer les pattes le plus près possible du corps.

2 Continuer en suivant le schéma. Enfiler les perles sur un fil et repasser l'autre fil dans les perles en sens inverse.

Matériel

• Assortiment de perles de rocaille petites ou grosses,
• fil de Nylon : 1 m pour les crocodiles en petites rocailles et 2 m pour les crocodiles en grosses rocailles,
• colle ou vernis à ongles.

Pour faire des pattes coudées, il suffit de sauter la troisième perle.

Bébé crocodile

jaune = dessous
orange = dessus

1 Choisir une couleur pour le dessous et une couleur pour le dessus. Commencer par placer la première perle au milieu du fil en passant deux fois le fil par le trou comme pour une perle de retenue.

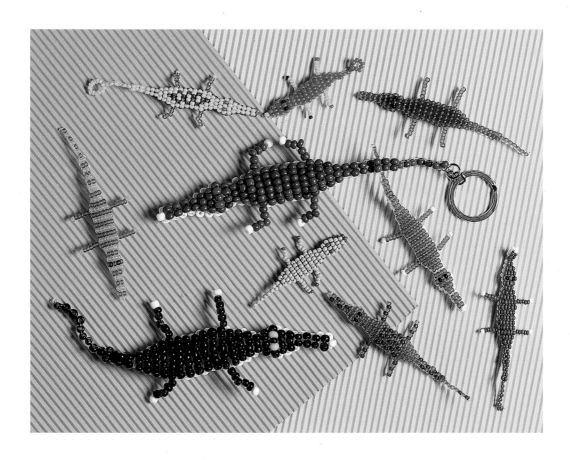

Finitions

Le plus simple consiste à faire plusieurs nœuds les uns sur les autres après la dernière perle et à les consolider avec une goutte de colle transparente ou du vernis à ongle. On peut aussi faire une petite boucle en enfilant quelques perles sur chaque brin de fil avant de faire les nœuds. Pour transformer le crocodile en broche, ouvrir une épingle à nourrice en grand, la piquer dans le corps entre les rangs de dessous et les rangs de dessus, puis la refermer. La raideur de l'épingle soulève la queue et la tête du crocodile : le voilà prêt à attaquer pulls et tee-shirts !

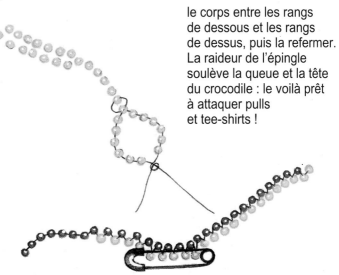

Personnages sur laiton

La technique utilisée est celle des fils croisés. L'utilisation du fil de laiton est un peu plus difficile que le fil classique parce qu'il faut bien le tirer après chaque rang. Le mieux est d'utiliser pour cela une pince à bijoux qui évite de se faire mal aux mains.

Matériel

- Assortiment de petites perles de rocaille,
- quelques grosses perles de rocaille pour les visages,
- fil de laiton : 1 m par sujet,
- petite pince coupante ou ciseaux peu fragiles,
- pince à bijoux,
- 1 brochette en bois ou 1 aiguille à tricoter.

garçon

1 On commence par le haut du sujet. Pour faire la boucle, plier le fil de laiton en U autour d'une aiguille à tricoter et torsader deux fois le fil.

2 Enfiler les perles selon le croquis du sujet choisi. Pour les coiffures à couettes ou à nattes, les fils se croisent deux fois dans la grosse perle. Pour les nattes, les bras et les jambes, on repasse le fil dans les perles en sens inverse sauf dans la dernière, en veillant à les placer le plus près possible du sujet.

3 La finition diffère un peu selon les sujets. Pour les sujets à jambes, on coupe tout simplement le fil à ras après l'avoir repassé dans les perles en sens inverse. Tordre délicatement chaque jambe avec la pince pour former le pied.
Pour les sapins et le bonhomme de neige page 34, enfiler la moitié du dernier rang sur un des brins et l'autre moitié sur l'autre puis torsader les deux brins ensemble. Couper à environ 5 mm et recourber le fil torsadé sur l'envers.

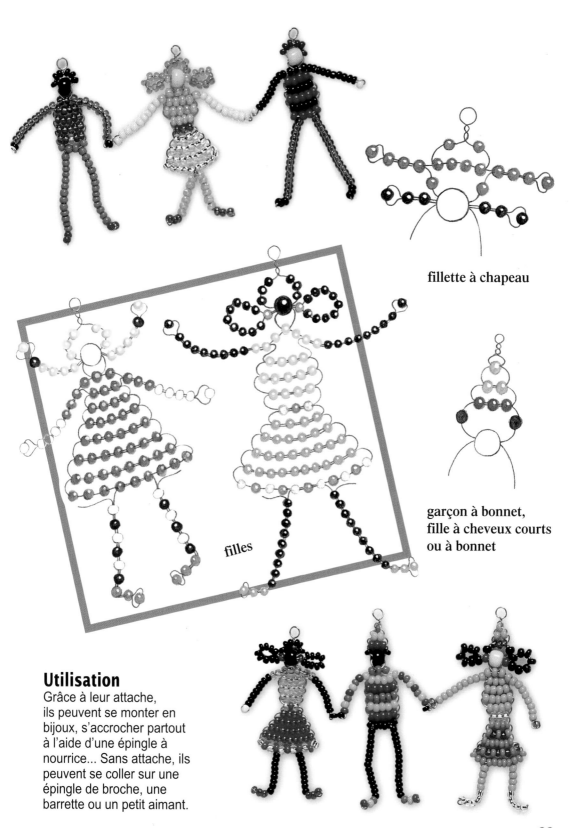

fillette à chapeau

filles

garçon à bonnet,
fille à cheveux courts
ou à bonnet

Utilisation

Grâce à leur attache,
ils peuvent se monter en
bijoux, s'accrocher partout
à l'aide d'une épingle à
nourrice... Sans attache, ils
peuvent se coller sur une
épingle de broche, une
barrette ou un petit aimant.

Décors de Noël

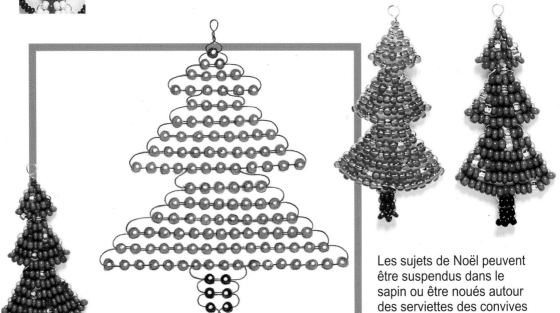

Les sujets de Noël peuvent être suspendus dans le sapin ou être noués autour des serviettes des convives avec un joli ruban.

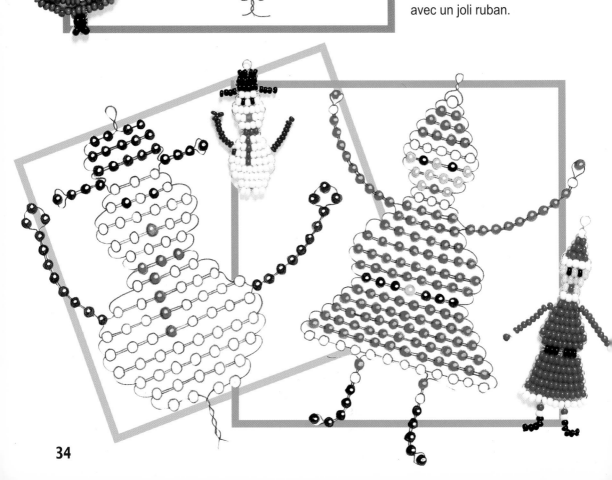

Fleurs sur laiton

Matériel

• Assortiment de petites perles de rocaille,

• fil de laiton : 0,50 m pour chaque fleur, 1,50 m pour le tournesol,

• petite pince coupante ou ciseaux peu fragiles.

Pour monter les fleurs en bijoux

• fil de Nylon,

• fermoirs,

• perles à écraser,

• pince à bijoux,

• brochette en bois ou aiguille à tricoter.

Petites fleurs

1 Enfiler 10 perles pour le cœur à 3 cm de l'extrémité du fil et fermer en rond sans trop serrer en torsadant les deux fils.

2 Enfiler 9, 11 ou 13 perles pour le premier pétale. Passer le fil par le centre en le coinçant entre la deuxième et la troisième perle du cœur, puis l'enrouler une fois autour de la base du pétale. Pour le dernier pétale, passer également le fil par le centre avant de l'enrouler deux fois autour de la base.

3 Enfiler les perles de la tige et de la feuille en suivant le schéma. Repasser le fil en sens inverse, sauf dans la dernière perle, et couper à ras.

Tournesol

Il se réalise de la même manière que les petites fleurs. Il faut 26 perles pour le cœur et 13 pétales de 20 perles chacun. Faire deux grandes feuilles et les mettre en forme en tordant légèrement le fil de laiton.

Fleurs sur laiton

Monter des fleurs en bijoux

Bracelet

Attacher quatre fleurs les unes aux autres. La tige de la dernière est attachée directement à l'anneau du fermoir. De l'autre côté, un anneau métallique relie le fermoir au pétale.

Collier

Faire une fleur avec une boucle. Attacher à la fleur une longueur de fil de Nylon à l'aide d'une perle à écraser. Enfiler les perles puis attacher le fermoir avec une autre perle à écraser. Procéder de la même façon pour l'autre côté. Rentrer les fils.

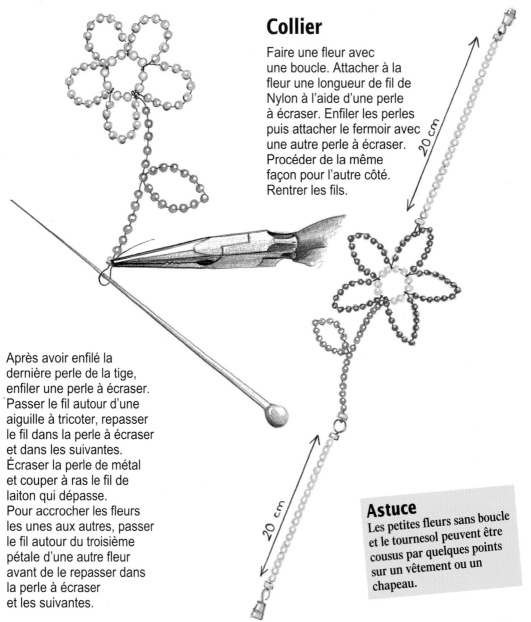

20 cm

20 cm

Après avoir enfilé la dernière perle de la tige, enfiler une perle à écraser. Passer le fil autour d'une aiguille à tricoter, repasser le fil dans la perle à écraser et dans les suivantes. Écraser la perle de métal et couper à ras le fil de laiton qui dépasse. Pour accrocher les fleurs les unes aux autres, passer le fil autour du troisième pétale d'une autre fleur avant de le repasser dans la perle à écraser et les suivantes.

Astuce
Les petites fleurs sans boucle et le tournesol peuvent être cousus par quelques points sur un vêtement ou un chapeau.

Tissage

Il existe plusieurs modèles de métiers à tisser les perles dans le commerce. En bois, en métal, en plastique, certains permettent de tisser une longueur prédéfinie correspondant à la longueur du métier (longueur entre les deux peignes). D'autres plus complexes, comportent un système d'enroulage et permettent de tisser la longueur que l'on désire. On peut aussi fabriquer son propre métier, à partir d'une boîte à chaussures, ou d'une planche sur laquelle on plante deux rangées de clous.

Fabrication du métier à tisser

À faire par un adulte

Matériel

- 1 boîte à chaussures,
- carton, type carton gris (dos de bloc d'écriture),
- ruban adhésif plastifié, d'environ 4 cm de large,
- colle vinylique blanche,
- peinture acrylique (facultatif),
- cure-dents en bois,
- papier fort,
- attaches parisiennes,
- règle, cutter, ciseaux.

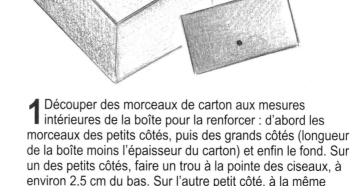

1 Découper des morceaux de carton aux mesures intérieures de la boîte pour la renforcer : d'abord les morceaux des petits côtés, puis des grands côtés (longueur de la boîte moins l'épaisseur du carton) et enfin le fond. Sur un des petits côtés, faire un trou à la pointe des ciseaux, à environ 2,5 cm du bas. Sur l'autre petit côté, à la même hauteur, faire deux trous distants d'environ 4 cm.

Matériel

- 1 métier à tisser,
- perles de rocaille,
- fil à coudre assez fort, fil de lin,
- 1 longue aiguille à perle,
- fermoirs, boutons,
- colle ou vernis à ongles,
- ciseaux, mètre de couturière.

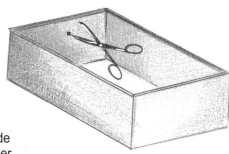

2 Coller les morceaux de carton et laisser sécher. Percer l'épaisseur de la boîte au niveau des trous.

4 Placer une attache parisienne dans chaque trou en les ouvrant sur l'intérieur de la boîte sans les serrer complètement. Coller une bande d'adhésif plastifié à l'intérieur de la boîte sur les tiges des attaches parisiennes.

3 Recouper une trentaine de cure-dents à 4 cm et les coller sur une bande de papier fort de 3 x 8 cm. Laisser sécher. Recouper la bande de papier au ras du dernier cure-dents si nécessaire, puis coller sur un des petits côtés de la boîte en faisant dépasser de 1 cm. Laisser sécher. Renforcer avec une bande d'adhésif plastifié.
Procéder de la même façon de l'autre côté.

39

Tissage

Motifs

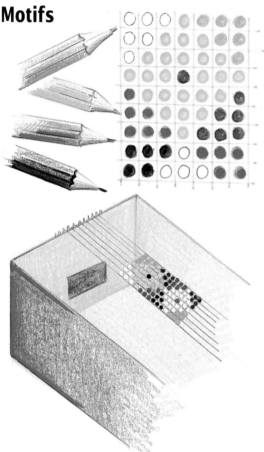

Montage des fils de chaîne

Si le tissage est destiné à être monté avec un fermoir, choisir du fil à coudre. Pour un bracelet terminé par une tresse, préférer le fil de lin. Couper des fils de lin ou de fil à coudre de la longueur du métier ou de la longueur désirée si le métier dispose d'un système d'enroulage, en ajoutant 30 à 40 cm pour les finitions. Il faut prévoir 1 fil de chaîne supplémentaire par rapport au nombre de perles sur chaque rangée. Si le motif compte 7 perles en largeur, il faut 8 fils de chaîne.

Prendre tous les fils ensemble, et faire un nœud autour de l'attache parisienne unique. Tendre les fils entre les cure-dents et les maintenir de l'autre côté en les entourant entre les deux attaches parisiennes en formant un huit. Maintenir en place par un élastique.

Choisir son motif avant de commencer à monter les fils. Si le motif est très simple, damier ou rayures, il n'est peut-être pas nécessaire de faire un dessin. Par contre, pour les motifs plus complexes (losanges, chevrons, personnages, lettres...), un petit dessin préparatoire s'avère utile. Dessiner sur du papier quadrillé avec des feutres ou des crayons de couleur. Une case représente une perle. Tout est permis ! Lors du travail, placer le motif en position verticale à côté du métier. On suit le motif rang par rang en commençant en haut à gauche.

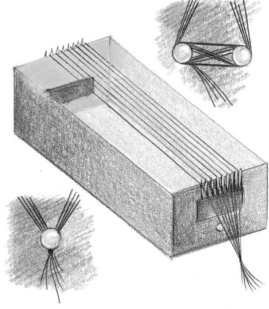

Pour ces modèles,
suivre les grilles des pages 2, 3, 46 et 47.

Tissage

1 Tisser en plaçant la réserve de fil vers soi, poser le motif à côté du métier. Attacher une aiguillée de fil à coudre de 1 m en haut à gauche en laissant 10 cm environ avant le nœud pour les finitions.

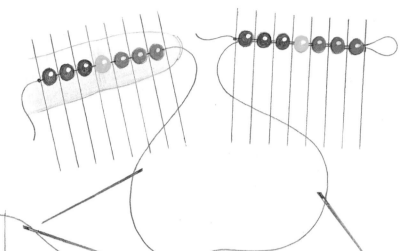

2 Passer l'aiguillée sous la chaîne et enfiler les perles selon le schéma, plaquer les perles sous les fils avec le doigt puis repasser l'aiguillée dans les perles en veillant à ce qu'elle passe par-dessus les fils de chaîne. Continuer ainsi jusqu'à la longueur désirée.

Si en cours de travail, le fil n'est plus assez long, faire 2 nœuds discrets l'un sur l'autre sur le premier fil de chaîne, puis rentrer le fil dans les perles du dernier rang avant de nouer une nouvelle aiguillée de fil. Rentrer les débuts des aiguillées de la même façon lorsque le tissage est terminé.

Astuce
Pour les gauchers, attacher le fil en haut à droite et lire la grille de droite à gauche.

Finitions

Tresse
Pour un bracelet porte-bonheur, faire une petite tresse arrêtée par un nœud de chaque côté en partageant les fils de chaîne en trois. Pour cette finition, il est préférable de choisir du fil de lin pour la chaîne.

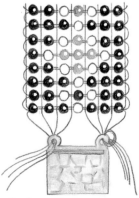

Tresse　　　　**2 systèmes de fermoirs**

Boutons

Séparer les fils de chaîne en quatre groupes. Même si le nombre de fils n'est pas divisible par quatre, il est possible d'adopter cette finition. Enfiler une perle sur les quatre groupes avant de rassembler les fils deux par deux dans les autres perles. Vérifier que la boucle est assez grande pour laisser passer le bouton avant de la fermer par 2 ou 3 nœuds. Couper et consolider les nœuds. Pour l'autre côté, réunir les deux longueurs de perles par un nœud, avant

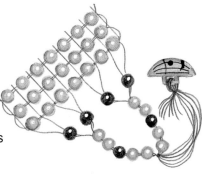

d'attacher le bouton. Si le bouton n'a pas de pied, passer la moitié des fils dans un des trous, enfiler 2 ou 3 perles, passer le fil par le deuxième trou et nouer en dessous.

Fermoirs

Si le tissage n'est pas très large, on peut rassembler, de chaque côté, tous les fils dans un nœud. Puis on les attache à un fermoir par deux ou trois nœuds consolidés par une goutte de colle ou de vernis à ongles. Si le tissage est plus large, rassembler les fils de chaîne deux par deux ou trois par trois par une perle. Puis attacher à un fermoir à plusieurs rangs comme pour un fermoir simple.

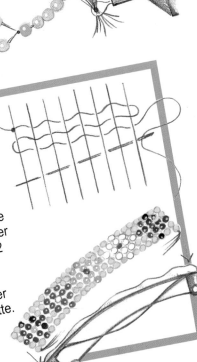

Barrettes

Commencer et terminer le tissage par une lisière en passant le fil de trame dessus dessous sur plusieurs rangs. Quand le tissage est terminé, nouer les fils de chaîne 2 par 2 puis couper à environ 2 cm. Plier la lisière dessous avant de coller le tissage sur la barrette.

Table des matières

Aux Éditions Fleurus

Grilles de tissage

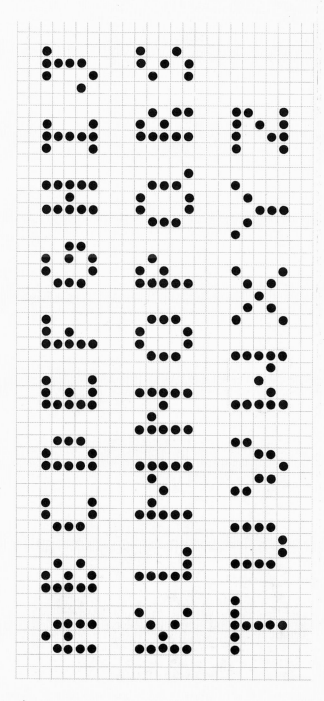

▲ **Pour les bracelets prénom, laisser 1 rang de perles entre deux lettres et centrer le prénom sur la grille.**